# LES LÉGENDAIRES

## WORLD WITHOUT

### 23. LES CICATRICES DU MONDE

SCÉNARIO & DESSIN

**PATRICK SOBRAL**

COULEUR

**PATRICK SOBRAL & POP**

*Et voilà ! C'est ici que s'achèvent (s'achèvent, vraiment ?) les aventures des Légendaires. 17 ans que je dessine quasi-quotidiennement les péripéties de ces jeunes héros qui ont accompagné non seulement ma vie mais également nombre d'enfants à travers le monde, dans les bons et les mauvais moments.*
*Merci aux éditions Delcourt (merci Thierry !) d'avoir cru en moi, en mon imagination et en ma bonne étoile.*
*Merci à Mélanie (POP) de m'avoir épaulé sur les couleurs du cycle WORLD WITHOUT et ainsi de m'avoir permis de donner à cette BD la fin qu'elle mérite.*
*Et surtout à vous, chers Légenfans ! Merci d'avoir eu foi en moi et d'avoir aimé cet univers d'une aussi belle manière, sans demi-mesure...*
*Légendaires unis un jour, Légendaires unis toujours !!*

*Patrick Sobral*

*Merci à Thierry et Jenny pour m'avoir permis de rejoindre l'univers des Légendaires et surtout un grand merci à Patrick pour sa gentillesse, sa bienveillance et m'avoir permis de l'accompagner sur la "fin" des aventures de ses héros. Vive les Légendaires!*

*Pop*

**Pour être au courant de toute l'actualité des Légendaires, c'est simple :**

Rejoins le Club des Légendaires et retrouve les autres Légenfans sur
**www.leslegendaires-lesite.com**

Tu veux avoir des infos en avant-première ?
Inscris-toi à la newsletter des Légendaires en scannant ce QR code

Tu peux aussi retrouver les Légenfans sur Facebook

Fb.com/legendairesbd

Éditeur : Thierry Joor

© 2020 Éditions Delcourt

Tous droits réservés pour tous pays
Dépôt légal : octobre 2020. ISBN : 978-2-413-02450-7
Première édition

Conception graphique : Studio Delcourt/Soleil

Loi n° 49-956 du 16 juillet 1949
sur les publications destinées à la jeunesse

Achevé d'imprimer en septembre 2020
sur les presses de l'imprimerie Pollina, à Luçon, France - 27412

*www.editions-delcourt.fr*

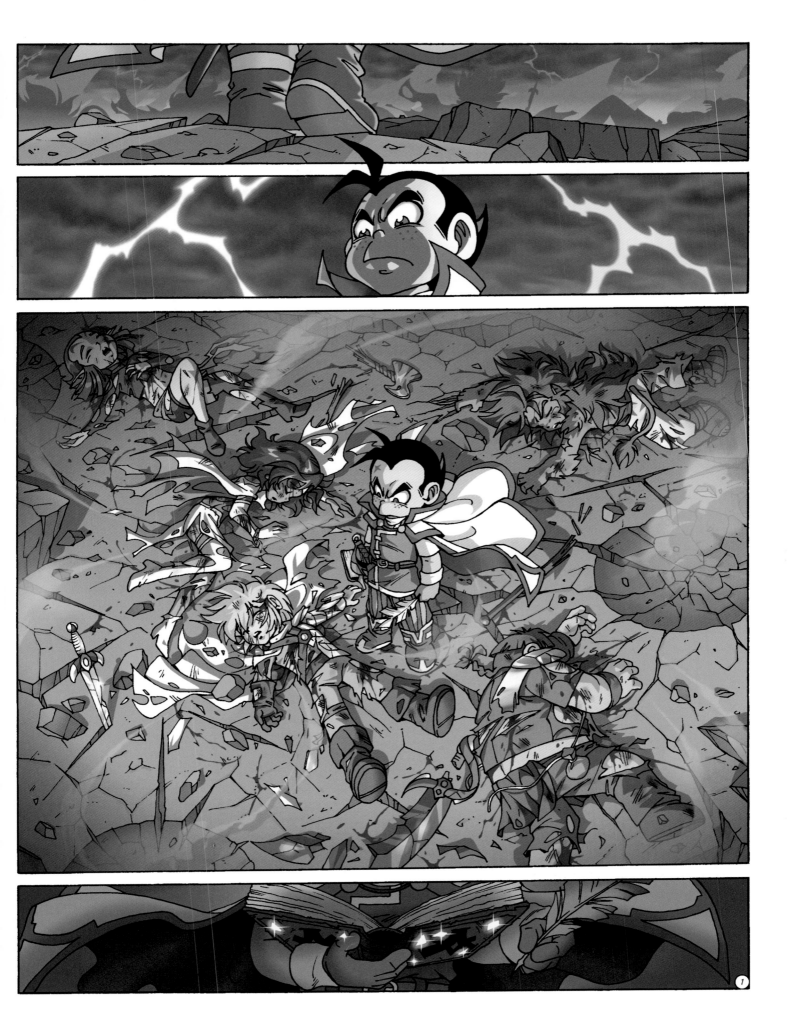

LARBOSA, PETIT SACRIPANT, TE VOILÀ !

PLAÎT-IL ?

HÉ ! HÉ !

CES PETITS FOURS SONT DÉLICIEUX !

KASH-KASH, MON AMI ! JE SUIS CONTENT QUE TU AIES PU RÉPONDRE À MON INVITATION !

JE N'AURAIS MANQUÉ CETTE RÉUNION DES PLUS GRANDS SOUVERAINS D'ASTRIA ET D'ALYSIA POUR RIEN AU MONDE !!

ET MÊME SI LA RAISON DE CET ÉVÉNEMENT EST DES PLUS ÉTRANGES, JE TE REMERCIE, LARBOSA.

C'EST MOI QUI TE SUIS REDEVABLE POUR L'AIDE QUE LES ELFES NOUS APPORTENT ...

... AFIN D'ANÉANTIR LES NÉANTS D'ALYSIA !!

C'EST GRÂCE À TES ELFES ÉLÉMENTAIRES QUE LES NÉANTS DE CE MONDE SONT SUR LE POINT D'ÊTRE NEUTRALISÉS. CERTES, ILS N'ONT PAS LA TAILLE DE CELUI QUI A MENACÉ ASTRIA MAIS LEUR NOMBRE COMMENÇAIT À POSER PROBLÈME.

À PRÉSENT, IL EST IMPORTANT DE DÉCOUVRIR L'ORIGINE DE CES DÉCHIRURES DE LA RÉALITÉ AFIN QUE CES "CHOSES" NE MENACENT PLUS NOS DEUX ROYAUMES !!!

③

JE CROYAIS POURTANT AVOIR ÉTÉ TRÈS CLAIRE À CE SUJET. COMBIEN DE FOIS VAIS-JE DEVOIR LE RÉPÉTER ?

C'EST ARTÉMUS DEL CONQUISADOR LE RESPONSABLE DE L'APPARITION DES NÉANTS !

SHUN-DAY...

PRINCESSE SHUN-DAY... COMME VOUS AVEZ GRANDI DEPUIS LA DERNIÈRE FOIS QUE JE VOUS AI VUE !!

VOUS AVEZ ÉCOUTÉ CE QUE JE VIENS DE DIRE ??

ENCORE CETTE HISTOIRE DE "LIVRE MAGIQUE" ? COMME QUOI IL AURAIT MODIFIÉ NOTRE RÉALITÉ ET QUE LES NÉANTS SERAIENT UN EFFET SECONDAIRE DÛ À CE SORTILÈGE ?

J'AI RÉUNI À OROBAN TOUS LES SOUVERAINS D'ALYSIA PAR RESPECT POUR FEU VOTRE MÈRE... MAIS N'ABUSEZ PAS DE NOTRE CRÉDULITÉ, PRINCESSE.

EN CE MOMENT MÊME, LES LÉGENDAIRES SONT EN ROUTE POUR OROBAN AVEC ARTÉMUS ET SON JOURNAL. VOUS AUREZ BIENTÔT TOUTES LES PREUVES NÉCESSAIRES.

UNE FOIS LA CULPABILITÉ DE CE MONSTRE ÉTABLIE, J'OSE ESPÉRER QUE LA PEINE DE MORT SERA LA SENTENCE QUE VOUS LUI APPLIQUEREZ !!

LES LÉGENDAIRES ? MAIS... CE SONT DES PERSONNAGES DE FICTION, NON ? JE NE COMPRENDS PLUS RIEN.

CET HOMME EST UN HÉROS MONDIAL ! IL EST CELUI QUI NOUS A DÉBARRASSÉS DE SKROA ET DU DIEU ANATHOS... C'EST LE SAUVEUR DES MONDES !

VOUS ÊTES DES IMBÉCILES !!

SHUN-DAY !!

EXÉCUTER LE GRAND DEL CONQUISADOR ? MAIS VOUS ÊTES FOLLE ?

PARDONNEZ LES PROPOS DE MA NIÈCE, MESSIRES. CES DERNIÈRES SEMAINES, ELLE A VÉCU DES MOMENTS DIFFICILES.

ESPÉRER DES DIRIGEANTS DES DEUX MONDES QU'ILS PUISSENT PRENDRE LES BONNES DÉCISIONS ÉTAIT UNE ERREUR MANIFESTEMENT. COMME LES LÉGENDAIRES...

PRINCESSE....?!

... VOUS ÊTES INCAPABLES DE VOIR LE DANGER QUE REPRÉSENTE DEL CONQUISADOR ET DE COMPRENDRE QU'IL FAUT L'EXTERMINER !!!

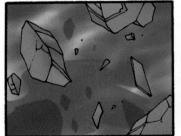

7

TOOPIE ?
ON VA BIENTÔT PASSER À TABLE.

TOOPIE, TU ES LÀ ?

OUI !

JE FINIS CETTE DERNIÈRE SOUDURE ET J'ARRIVE !!

WHAOU ! ALORS C'EST SUR ÇA QUE TU TRAVAILLAIS CES DERNIERS JOURS ? C'EST VRAI QUE T'AS TOUJOURS ÉTÉ BRICOLEUSE EN FAIT.

JE L'AI PRESQUE ACHEVÉ. MAIS JE NE LUI AI TOUJOURS PAS...

JE L'AI CONÇU À PARTIR DES ENGINS MÉCANIQUES DE LA CITÉ DES ÉVEILLÉS.

... TROUVÉ DE NOM.

ET POURQUOI PAS ... DING- DONG ?!

DING- DONG ?!

OUAIS ! ÇA SONNE PAS MAL DU TOUT ... MERCI, GRYF !

EN TOUT CAS, ÇA M'A OCCUPÉ L'ESPRIT ... EN ATTENDANT QU'"IL" SE RÉVEILLE !!

COMMENT VA-T-IL ?

SAMAËL VA BIEN ... POUR AUTANT QUE J'ARRIVE À COMPRENDRE LE FONCTION- NEMENT DE CE CAISSON.

MAIS POUR JE NE SAIS QUELLE RAISON, IL NE SE RÉVEILLE PAS. PEUT-ÊTRE EST-CE DÛ À SA CONSTITUTION JAGUARIANE ??

SAMAËL, UN JAGUARIAN... TSSS ! LA MAGIE WORLD WITHOUT A UN SACRÉ SENS DE L'HUMOUR !

MAIS AU MOINS, TANT QU'IL EST LÀ-DEDANS, JE NE RISQUE PAS DE CRISE DE CHAKOUNIA.

DIS, C'EST VRAI CE QUE TU M'AS RACONTÉ L'AUTRE JOUR ?

QUE DANS LA "VRAIE" RÉALITÉ, SAMAËL ET TOI ÊTES AMIS ?

AMIS... ENNEMIS... FRÈRES... RIVAUX... NOS RAPPORTS ONT TOUJOURS ÉTÉ TRÈS COMPLIQUÉS !!

6

SAMAËL ET MOI AVONS GRANDI ENSEMBLE DANS UN ENVIRONNEMENT VIOLENT ET SANS PITIÉ. MAIS IL S'EST TOUJOURS MONTRÉ EXTRÊMEMENT PROTECTEUR ENVERS MOI.

AU POINT HÉLAS DE SE SACRIFIER EN AFFRONTANT DASYATIS L'OMBRE NOIRE POUR ÉPARGNER MA VIE.

DEPUIS LORS, MON ANCIEN AMI ET FRÈRE AVAIT PERDU LA RAISON, IL N'ÉTAIT PLUS QUE HAINE ET RANCŒUR. DANS SA FOLIE, SAMAËL A MÊME TENTÉ DE ME TUER.

UNE PARTIE DE MOI SOUHAITE QU'IL RESTE ENDORMI CAR JE NE SAIS PAS SI CE SERAIT UN FRÈRE OU UN ENNEMI QUI SE RÉVEIL- LERAIT !!

DASYATIS ? ... J'AI DÉJÀ ENTENDU CE NOM ! IL ME SEMBLE QUE C'EST CELUI DU GARDE DU CORPS D'HALAN, LE CORSAIRE D'ARGENT !!

QUOI ?

DASYATIS EST EN VIE ET AU SERVICE DE CET ENFOIRÉ D'HALAN ? ME PARLE PAS DE MALHEUR !

"SI CES DEUX-LÀ FONT EN EFFET ÉQUIPE ...

J'ARRIVE, JADINA ...

... J'ARRIVE !!

... J'ESPÈRE QU'ON NE TOMBERA JAMAIS SUR EUX !!!"

⑦

9

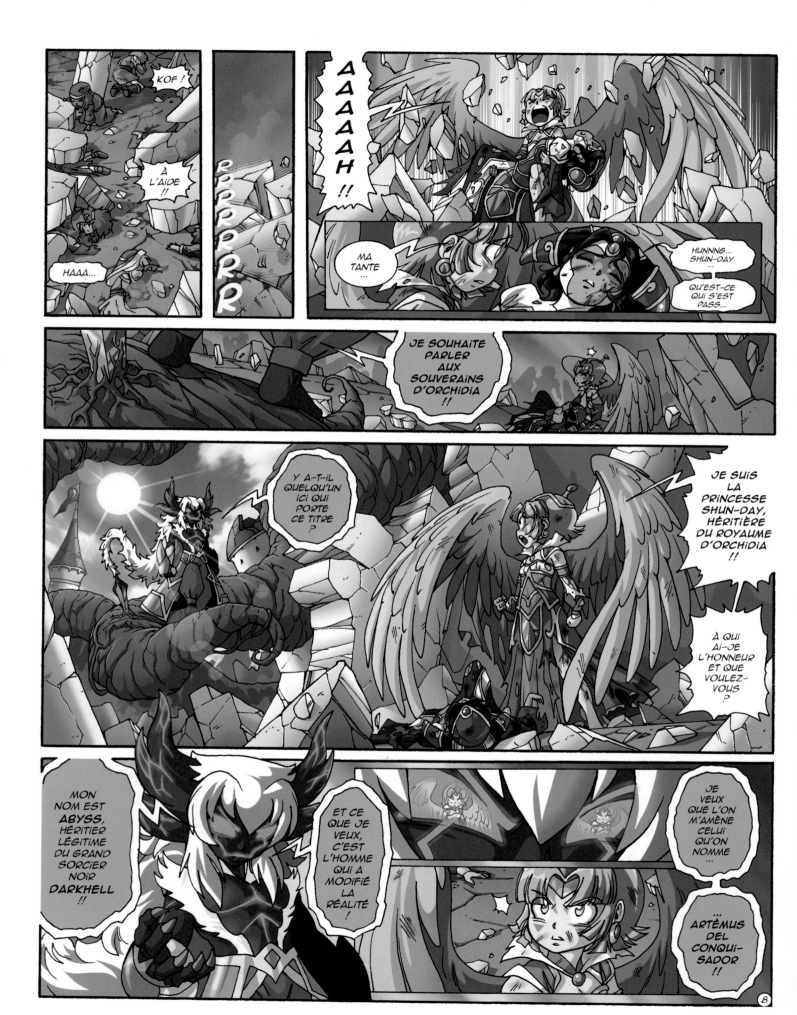

VOUS ÊTES UN SBIRE... DU SORCIER NOIR ?

EN ATTAQUANT CE PALAIS, VOUS VENEZ DE DÉCLARER LA GUERRE À TOUS LES PAYS DONT LES DIRIGEANTS SONT RÉUNIS ICI MÊME.

VOTRE CRIME NE RESTERA PAS IMPUNI ET SACHEZ D'ORES ET DÉJÀ QUE LES REPRÉSAILLES SERONT À SA MESURE !

À COMMENCER PAR L'INTERVENTION...

... DES FAUCONS D'ARGENT !

ET C'EST LA COMMANDANTE SHAMIRA, LA FEMME LA PLUS COURAGEUSE ET LA MEILLEURE ÉPÉISTE DE TOUT LARBOS ...

QUI VOLE EN CE MOMENT MÊME DANS NOTRE DIRECTION POUR VOUS FAIRE PAYER CETTE ATTAQUE ...

... À LA TÊTE DE SON ARMÉE DE PLUS DE 100 HOMMES !!

EH BIEN, VOYONS CE QUE VOS SOLDATS ÉMÉRITES POURRONT FAIRE FACE AU PLUS GRAND MAGE DE L'HISTOIRE D'ALYSIA ...

... MON PÈRE, DARKHELL, LE SORCIER NOIR EN PERSONNE !!

CE SERA À N'EN PAS DOUTER UN COMBAT DES PLUS PASSIONNANTS !!!

9

ALORS, VOIZI DONC ZON REPAIRE MAUDIT...

DARKHELL LE ZORZIER NOIR...

... CASTHELL LE CHÂTEAU MALÉFIQUE !

TÉNÉBRIZ, ZETTE DEMEURE N'EST PLUS QU'UN IMMONDE TAS DE RUINES.

POURQUOI TENAIS-TU À ZE QUE ZE VIENNE DANS ZET ENDROIT ?

ET MÊME S'ILS SONT DOULOUREUX ...

PARCE QUE TOI ET MOI Y AVONS VÉCU PLUSIEURS ANNÉES.

... LES SOUVENIRS QUI Y SONT LIÉS FONT PARTIE DE NOUS. ALORS, SI TU VEUX ALLER DE L'AVANT, TU DOIS TE RAPPELER MAIS SURTOUT COMPRENDRE CELUI QUE TU AS ÉTÉ PAR LE PASSÉ, RAZZIA !!

ET LE VOYAGE COMMENCE ICI !

HEU... APRÈS TOI !

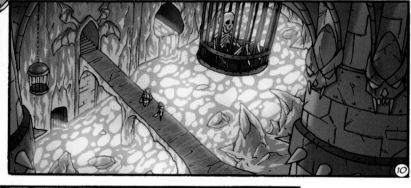

⑩

TU ES CONSZIENTE QUE DANS ZETTE RÉALITÉ, NI TOI NI MOI N'AVONS ÉTÉ AU ZERVIZE DE DARKHELL ...

... AU ZERVIZE DE TON PÈRE !!

C'EST VRAI. NOUS NE TROUVERONS PAS ICI DES SOUVENIRS QUI NOUS SONT PROPRES, JE NE SUIS PAS STUPIDE !

IL EST IMPORTANT QUE TU VOIES CETTE SALLE QUI RENFERME SON HISTOIRE, UN PASSÉ DANS LEQUEL MON PÈRE A ÉTÉ UN IDÉALISTE QUI VOULAIT UNIFIER ALYSIA !!

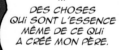

MAIS IL EST DES CHOSES QUI SONT IMMUABLES, QUI NE CHANGENT PAS ... DES CHOSES QUI SONT L'ESSENCE MÊME DE CE QUI A CRÉÉ MON PÈRE.

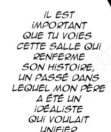

SI JE TE MONTRE CE LIEU QUE JE N'AI MOI-MÊME ÉTÉ AUTORISÉE À VOIR QU'UNE FOIS, C'EST PARCE QUE JE VEUX QUE TU RÉALISES QUE DARKHELL ET TOI AVEZ PLUS EN COMMUN QUE TU NE LE PENSES !

J'AVOUE ÊTRE ADMIRATIF DEVANT LE COURAGE DE VOS HOMMES, ROI LARBOSA.

MAIS LE COURAGE N'A JAMAIS ÉTÉ LE PROBLÈME CHEZ LES HUMAINS... C'EST L'ESPOIR D'UN MIRACLE IMPOSSIBLE QUI FAIT LEUR FAIBLESSE !

MAIS À BIEN Y RÉFLÉCHIR, LE PLUS GRAND DÉFAUT QUI LES CARACTÉRISE ET QUI NE CESSE DE ME FASCINER EST SANS DOUTE...

...LEUR STUPIDITÉ !!!

LARBOSAAA !!

TOI, LA PRINCESSE AILÉE ! JE SAIS QUE DEL CONQUISADOR A SÉJOURNÉ DANS TA CITÉ, TU DOIS SAVOIR OÙ IL SE TROUVE ! DE PLUS, TU N'AS PAS EU L'AIR SURPRISE QUAND J'AI DIT QU'IL AVAIT MODIFIÉ LA RÉALITÉ... ALORS, DIS-MOI TOUT CE QUE TU SAIS SUR LUI ET SES POUVOIRS !

HUNNGH...

QUE... QU'EST-CE QUE... VOUS VOULEZ ... À... À ARTÉMUS ?!

EN PLUS D'ÊTRE L'ENNEMI JURÉ DE MON PÈRE DANS CETTE RÉALITÉ, UN HOMME DOTÉ D'UN TEL POUVOIR NE PEUT ÊTRE QU'UNE MENACE POUR MES PLANS. ALORS, C'EST SIMPLE...

...JE VEUX LE TUER !!

12

JE NE TE DÉRANGE PAS, SHIMY ?

OUI... MOI AUSSI ...

À BIENTÔT !!

DANAËL ?!

OH, PARDON. TU ÉTAIS AU CRISTA-PHONE ?

TU PARLAIS AVEC QUI ?

JE DISCUTAIS AVEC LIONFEU !

CONFORMÉMENT AUX DERNIÈRES VOLONTÉS D'ÉLYSIO, IL A PRIS LA CHARGE DE GUIDER LES ÉVEILLÉS POUR LEUR TROUVER UN NOUVEAU FOYER !!!

LE MONDE ELFIQUE A ACCEPTÉ DE LEUR ACCORDER ASILE LE TEMPS QU'ILS TROUVENT UN ENDROIT DÉFINITIF POUR S'ÉTABLIR. ILS TRAVERSENT LE PORTAIL MAGIQUE EN CE MOMENT MÊME.

QUELQUE CHOSE ME DIT QU'UNE CERTAINE ELFE Y EST POUR QUELQUE CHOSE !

IL FAUT CROIRE QUE SAUVER UN MONDE DU NÉANT OFFRE QUELQUES AVANTAGES !

DANAËL... TU CROIS VRAIMENT QUE SHUN-DAY A EU UNE BONNE IDÉE EN PROPOSANT DE REMETTRE ARTÉMUS ET SON JOURNAL AUX AUTORITÉS D'OROBAN ?

SHUN-DAY EST PRINCESSE D'ORCHIDIA ! ELLE ET SA TANTE INVIDIA ONT PROMIS DE CONVAINCRE LES DIRIGEANTS DE NOS MONDES DE LA SITUATION.

EN ADMETTANT QU'IL ACCEPTE LA VÉRITÉ SUR LA MALÉDICTION WORLD WITHOUT, JE NE VOIS PAS CE QUE LARBOSA POURRA FAIRE DE PLUS !

SHIMY... ICI, NOUS NE SOMMES PERSONNE ! CE N'EST PAS À NOUS DE PRENDRE DES DÉCISIONS AUSSI IMPORTANTES.

(13)

C'EST POURTANT CE QUE NOUS AVONS TOUJOURS FAIT !

GRYF ?!

DANAËL, TU NOUS AS DEMANDÉ DE T'AIDER À REDEVENIR CELUI QUE TU AS ÉTÉ... NOTRE LEADER !

ALORS, FIE-TOI DAVANTAGE À TON INSTINCT...

... CAR IL A SAUVÉ LE MONDE PLUS D'UNE FOIS !

CHERS ENNEMIS LÉGENDAIRES !!!

COMME JE SUIS RAVI DE VOUS SAVOIR EN VIE ET DE NOUVEAU RÉUNIS DANS CETTE RÉALITÉ !!

CETTE VOIX...

ELLE EMPLIT LE CIEL.

C'EST QUOI ENCORE ?

PUISQUE PLUSIEURS D'ENTRE VOUS M'ONT OUBLIÉ ET QUE LES AUTRES ME CROIENT MORT, JE ME PERMETS DE ME RE-PRÉSENTER À VOUS...

... JE SUIS ABYSS, FILS DE DARKHELL !!

PERSONNELLEMENT, JE ME SOUVIENS TRÈS BIEN DE VOUS, LÉGENDAIRES. COMMENT OUBLIER LA TERRIBLE HUMILIATION QUE VOUS M'AVEZ FAIT SUBIR CE JOUR-LÀ À ORCHIDIA ?! PAS UNE MINUTE NE S'EST ÉCOULÉE DEPUIS QUE JE SONGE À MA REVANCHE !

JE SAIS QUE VOUS ÊTES EN ROUTE POUR OROBAN. MON PÈRE ET MOI VOUS Y ATTENDONS AVEC IMPATIENCE, AINSI QUE LES SOUVERAINS D'ALYSIA ET D'ASTRIA QUE JE RETIENS EN OTAGES AU PALAIS ROYAL !

SI VOUS PENSEZ UN SEUL INSTANT QUE NOUS HÉSITERONS À LES EXÉCUTER, DEMANDEZ À CEUX QUI SE RAPPELLENT NOUS AVOIR AFFRONTÉS CE DONT NOUS SOMMES CAPABLES !!

JADINA ! COMBIEN DE TEMPS POUR ARRIVER À OROBAN ?

UNE DEMI-HEURE SI JE POUSSE LES MOTEURS À LES FAIRE EXPLOSER ... ACCROCHEZ-VOUS, ÇA VA SECOUER !!!

PEU PARMI VOUS SONT EN PLEINE POSSESSION DE LEURS MOYENS, ALORS VOUS N'AVEZ D'AUTRE CHOIX QUE DE FAIRE CE QUE JE DEMAN-DE !

ET CE QUE JE VEUX, C'EST QUE VOUS ME REMETTIEZ VOTRE PRÉCIEUSE CARGAISON ... ARTÉMUS DEL CONQUISADOR !!

MOI ?

POURQUOI VOUS ME REGARDEZ COMME ÇA, BANDE DE TRUCMUCHES ?!

VOUS ALLEZ QUAND MÊME PAS OBÉIR À CE TYPE ?!

C'EST VOTRE DEVOIR DE ME PROTÉGER !!

MAIS QUI EST CET "ABYSS" ? COMMENT SE FAIT-IL QU'IL SE SOUVIENNE DE VOUS ET QU'IL SOIT AU COURANT POUR ARTÉMUS ?

EN VOILÀ UNE QUESTION QU'ELLE EST BONNE !

SI C'EST BIEN CELUI AUQUEL JE PENSE, NOUS AVONS AFFAIRE À UN ENNEMI AU MOINS AUSSI REDOUTABLE QUE DARKHELL !!

EN PLUS D'ÊTRE QUASI IMMORTEL, S'IL S'EST ALLIÉ À SON PÈRE, JE VOUS RACONTE PAS LE CAUCHEMAR !!

ABYSS EST EN RÉALITÉ UN PARASITE, UNE EXPÉRIENCE RATÉE DE DARKHELL QUI CHERCHAIT À SE CRÉER UN HÉRITIER. CE SYMBIOTE A ENSUITE POSSÉDÉ UN PROCHE DE JADINA POUR INFILTRER ORCHIDIA.

SON BUT ÉTAIT DE MANIPULER TÉNÉBRIS QU'IL CONSIDÉRAIT COMME SA SŒUR POUR RÉGNER À SES CÔTÉS SUR LE TRÔNE.

HEUREUSEMENT, NOUS AVONS PU DÉJOUER SES PLANS ET ABYSS A DISPARU AVEC L'ARBRE DE GAMERA, UNE CRÉATURE DIVINE, DANS LE CIEL D'ALYSIA. NOUS AVONS TOUS CRU QU'IL ÉTAIT MORT !!

IL EST ALLÉ DANS L'ESPACE ? MAIS ALORS...

VOILÀ POURQUOI IL A ÉCHAPPÉ AU WORLD WITHOUT ET QU'IL SE RAPPELLE ! LES MODIFICATIONS QUE J'AI ÉCRITES N'ONT AFFECTÉ QU'ALYSIA ET ASTRIA... PAS CE QUI SE TROUVAIT EN DEHORS DE CES PLANÈTES !!

TOUCHE PAS À ÇA, TOI !

MAIS EUH...

AMY, TU AS TOUJOURS TON POUVOIR DE TÉLÉPORTATION, N'EST-CE PAS ?? VA CHERCHER TON PÈRE ET TÉNÉBRIS, ON VA AVOIR BESOIN D'EUX !!

DE NOTRE CÔTÉ, NOUS ALLONS METTRE UN PLAN AU POINT POUR SAUVER LES OTAGES ...

...ET NOUS DÉBARRASSER DE DARKHELL ET ABYSS UNE FOIS POUR TOUTES !!

15

PAPA !! TÉNÉBRIS ! VENEZ VITE, IL FAUT QUE VOUS NOUS REJOIGNIEZ ... LA SITUATION EST CRITIQUE !!

AMY ? MAIS QU'EST-ZE QUE ...

LE TEMPS PRESSE, VITE !

JE VOUS EXPLIQUERAI EN CHEMIN !!

VOILÀ, VOUS SAVEZ TOUT !

DARKHELL ET ABYSS, TU ES CERTAINE ?

ABYZZ ? LE MONZTRE PARASITE DONT TU M'AS PARLÉ ? TU CROIS QU'IL EN A TOUZOURS APRÈS TOI ?

JE DOIS PARLER À MON PÈRE ... IL N'Y A QUE MOI QUI PUISSE LE RAISON-NER !

NON, TÉNÉBRIZ ! DANS ZETTE RÉALITÉ, TU N'ES PAS ZA FILLE, IL NE TE CONNAIT PAS. ZE ZERAIT DU ZUIZIDE !!

ZE TE L'INTERDIS !!

TOI, TU ME L'INTERDIS ?

VIVEMENT QUE LA MÉMOIRE TE REVIENNE, MON PAUVRE RAZZIA !

ATTENTION, ON ARRIVE !

EUH...

... Y A COMME UN SOUCI, LÀ !

16

BIZARRE.. J'ÉTAIS PERSUADÉE DE NOUS AVOIR TÉLÉPORTÉS ... COMMENT J'AI PU ME TROMPER D'ENDROIT ??

"TE TROMPER D'ENDROIT" ? ON EST À ASTRIA, STUPIDE GAMINE ! ON S'EST CARRÉMENT GOURÉS DE PLANÈTE, LÀ !!

JE CROIS ZAVOIR ZE QUI Z'EST PAZZÉ !

IL Y A QUELQUES MINUTES, LIONFEU A UTILISÉ LA CLÉ ELFIQUE QUE SHIMY LUI AVAIT DONNÉE POUR CONDUIRE LES ÉVEILLÉS À AZTRIA. ET COMME APRÈS CHAQUE OUVERTURE DE PORTAIL, IL PERZIZTE DES RÉSIDUS MAZIQUES ZUR ZON LIEU D'ACZION.

LES EXPLICATIONS DU PROFESSEUR RAZZIA

AMY, TA TÉLÉPORTAZION A ÉTÉ AFFECTÉE PAR ZES RÉSIDUS, CE QUI A DÉVIÉ NOTRE ROUTE POUR NOUS CONDUIRE ÉGALEMENT DANS LE MONDE ELFIQUE. SI ON EZZAIE DE NOUVEAU, ON VA REVENIR IZI EN BOUCLE !

MALHEUREUSEMENT, ON VA DEVOIR ATTENDRE QUE ZES RÉSIDUS MAZIQUES Z'EZTOMPENT AVANT DE RETENTER UNE TÉLÉPORTAZION !

ZE QUI VEUT DIRE ...

... QUE QUEL QUE SOIT LE PLAN DE DANAËL POUR AFFRONTER DARKHELL ET ABYSS ...

... ESPÉRONS QU'ILS POURRONT SE PASSER DE NOUS !!

PAR TOUS LES DIEUX...

... QU'EST-CE QUE C'EST QUE ÇA ?

17

HAA... HAA... HAA...

SHAMIRA...

...SHAMIRA !

TOUJOURS À FONCER TÊTE BAISSÉE AVEC TES PETITS SOLDATS SUR UN ORDRE DE LARBOSA COMME DE BONS TOUTOUS ?

PATHÉTIQUE !

À PRÉSENT, TES SOLDATS ET LEURS CULBUTARS NE SONT PLUS QUE DE L'ENGRAIS POUR L'ARBRE DE GAMÉRA QUI VA LES DIGÉRER.

MON "FILS" A DÉCIDÉMENT LÀ UN ALLIÉ DES PLUS FASCINANTS !!

TON "FILS", TU AS DIT ? J'AI EN TOUT CAS L'IMPRESSION QUE C'EST LUI QUI MÈNE LA BARQUE DANS VOTRE DUO MALFAISANT.

ALORS, QUI DE NOUS DEUX SUIT SON MAÎTRE COMME UN TOUTOU, DIS-MOI, DARKHELL ?!

SALE PETITE GARCE !

JE VAIS ME FAIRE UN PLAISIR DE T'ENVOYER REJOINDRE TES PRÉCIEUX FAUCONS D'ARGENT !!

SI MON DESTIN EST DE CONNAÎTRE LE SORT DE MES HOMMES, SOIT !

MAIS JE T'EMPORTERAI AVEC MOI, SORCIER NOIR !!

HA ! HA ! HA ! DANS TES RÊVES !!

DÉSOLANT.

QUAND ON Y PENSE, TA "VRAIE" VIE ÉTAIT PEUT-ÊTRE TOUT AUTRE AVANT QUE DEL CONQUISADOR LA MODIFIE !!

AAAAH...

ALORS, MAUDIS-LE DE L'ENFER CAR IL EST L'UNIQUE RESPONSABLE DE TA MORT !!!

18

ENFIN !

ABYSS ?!

CE SONT EUX !

AAAH !

WOOOOOOOH

HÉ !

DE LA MAGIE ÉLÉMENTAIRE ?!

ON S'OCCUPE DE LA SUITE, SHAMIRA !!

QUE... COMMENT CONNAISSEZ-VOUS MON NOM ?

ET... QUI ÊTES-VOUS ??

TU EN ES CERTAIN ?

PEUH... ILS N'ONT PAS L'AIR SI TERRIBLES.

ET POURTANT CES "HÉROS" T'ONT MIS EN DÉROUTE PLUS DE FOIS QUE TU NE PEUX TE L'IMAGINER, PÈRE !

ET LUI ? CET HOMME EST-IL BIEN LE FAMEUX ARTÉMUS, LE HÉROS USURPATEUR ?

OUI... JE N'OUBLIERAI JAMAIS CETTE TÊTE DE BENÊT !! C'EST MON ENNEMI JURÉ... DANS CETTE RÉALITÉ.

OUI... CE SONT LES LÉGENDAIRES, BIEN QU'INCOMPLETS !

LES LÉGENDAIRES ONT L'AIR DE SUIVRE MES INSTRUCTIONS. LA VIE DE NOS OTAGES EST UN EXCELLENT MOYEN DE PRESSION.

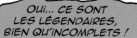

VA CHERCHER ARTÉMUS !

BIEN !

ABYSS !!

AVANT QUE NOUS ÉCHANGIONS TES OTAGES CONTRE DEL CONQUISADOR...

...DIS-NOUS CE QUE VOUS COMPTEZ FAIRE DE LUI !

RIEN NE M'OBLIGE À VOUS RÉPONDRE, CHEVALIER... MAIS EN REMERCIEMENT DE VOTRE BONNE VOLONTÉ, JE VAIS LE FAIRE.

MALGRÉ TOUTES LES INFORMATIONS QU'ILS ONT OBTENUES, ILS NE SAVENT DONC PAS COMMENT ARTÉMUS S'Y EST PRIS. ILS IGNORENT QU'IL LUI FAUT SON JOURNAL QUI EST TOUJOURS À BORD DU VAISSEAU.

NOUS ALLONS L'INTERROGER SUR LA FAÇON DONT IL S'Y EST PRIS POUR ALTÉRER LA RÉALITÉ À SA GUISE. UNE FOIS QUE NOUS AURONS EU NOS RÉPONSES... DISONS QUE DARKHELL A UN COMPTE À RÉGLER AVEC LUI !

LES LÉGENDAIRES OBÉISSENT DOCILEMENT À MES ORDRES...

ÇA NE LEUR RESSEMBLE PAS !!

24

AH LÀ LÀ !! C'EST LA CATA DE CHEZ CATA !

MAIS QUELLE BANDE DE TRUC-MUCHES !!

LEUR PLAN ÉTAIT VRAIMENT POURRI ... ILS ONT MORDU LA POUSSIÈRE EN À PEINE UNE MINUTE !!

ET MAINTENANT QUI VA ME PROTÉGER, HEIN ?

VOUS POUVEZ ME DIRE QUI LES LÉGENDAIRES ONT LAISSÉ POUR ASSURER MA PROTECTION, HEIN ?

UNE GAMINE REINE DU BRICOLAGE ET UN JAGUARIAN QUI TIENT PLUS DU LÉGUME EN CONSERVE ?! JE N'AI VRAIMENT AUCUNE RAISON DE M'INQUIÉTER, ÇA, C'EST SÛR !!

HÉ, OH ! JE SUIS EN TRAIN DE ME PLAINDRE, LÀ ! ON PEUT SAVOIR CE QUE T'ES EN TRAIN DE FAIRE QUI SOIT PLUS INTÉRESSANT QUE DE M'ÉCOUTER ?

HEIN ?

J'EXPÉ-RIMENTE QUELQUE CHOSE POUR SORTIR MON AMI SAMAËL DE SON COMA.

LORS DE NOTRE COURT SÉJOUR À ASTRIA AVANT D'ENTREPRENDRE CE VOYAGE, J'AI APPRIS QUE GRYF AVAIT ÉTÉ SOIGNÉ D'UN EMPOISONNEMENT GRÂCE À UNE INJECTION DE SANG DE JAGUARIAN !

ALORS JUSTE AVANT NOTRE DÉPART, JE ME SUIS FAUFILÉE EN DOUCE DANS L'INFIRMERIE ET J'AI VOLÉ CE QUI LEUR RESTAIT DE CE SANG. SI ÇA A MARCHÉ POUR GRYF, ALORS PEUT-ÊTRE QUE...

GRYF ?!

OÙ EST-IL PASSÉ ??

HÉ ! QU'EST DEVENU LE JAGUARIAN ??

EST-CE QU'IL S'EST ENFUI ?

NOUS ...

...NOUS AVONS ÉTÉ DUPÉS !

23

LES AUTRES N'ÉTAIENT QU'UNE DIVERSION...

...TANDIS QUE GRYF ET LE CAPITAINE SHAMIRA...

...PARTAIENT LIBÉRER LES OTAGES !!

ALLEZ, TOUT LE MONDE SE REGROUPE... ON SE TIRE D'ICI FISSA !

VOUS... VOUS ÊTES VENUS NOUS SAUVER ?

ON NE PEUT PAS S'ENFUIR DE CET ENDROIT... LES GRAVATS BLOQUENT L'UNIQUE SORTIE DE CETTE SALLE !

HUM... ET PAS QUESTION DE PARTIR PAR OÙ NOUS SOMMES ARRIVÉS, AVEC ABYSS ET DARKHELL QUI NOUS ATTENDENT AU TOURNANT.

IL Y A UNE AUTRE SOLUTION !!

IL EXISTE UN PASSAGE SECRET DANS LES SOUS-SOLS DU PALAIS QUI CONDUIT VERS LES MONTAGNES.

AVEC UN PEU DE CHANCE, IL N'A PAS ÉTÉ DÉTRUIT COMME LE HAUT DU CHÂTEAU.

MERCI, SHAMIRA ! CONTENT DE VOUS SAVOIR AUSSI PERSPICACE QUE DANS LA RÉALITÉ !!

MAIS COMMENT ACCÉDER AUX SOUS-SOLS ??

ÇA, J'EN FAIS MON AFFAIRE. QUE TOUT LE MONDE RECULE !

ATTAQUE...

...ÉLÉMENTAIRE !!!

24

ET VOILÀ, TOUT LE MONDE DESCEND !!

S'IL VOUS PLAÎT... AIDEZ-MOI ! IL FAUT SECOURIR MA NIÈCE SHUN-DAY !!

SHUN-DAY... EST ICI ??

LORSQUE CES DEUX MONSTRES, DARKHELL ET ABYSS, NOUS ONT ATTAQUÉS, MA NIÈCE LEUR A DÉVOILÉ TOUT CE QU'ILS DÉSIRAIENT SAVOIR SUR VOS COMPAGNONS ET VOUS !

ILS L'ONT TORTURÉE ?? OÙ EST-ELLE ?? COMMENT VA-T-ELLE ? RÉPONDEZ, REINE INVIDIA !

VOUS...VOUS NE SAISISSEZ PAS ! QUAND ELLE A COMPRIS QU'ILS DÉSIRAIENT S'EN PRENDRE À DEL CONQUISADOR, C'EST VOLONTAIREMENT QU'ELLE LES A AIDÉS !!

QUE... QUE DITES-VOUS ?

AIDEZ MA NIÈCE, S'IL VOUS PLAÎT... ELLE A BESOIN D'AIDE !!

JE CRAINS QUE SHUN-DAY N'AIT PERDU LA RAISON !!

MENSONGES...

MENSONGES...

MENSONGES...

TOUT N'EST QUE MENSONGE !!

QU'EST-CE QU'ON ATTEND POUR ALLER CHERCHER LE JAGUARIAN ?

S'IL LIBÈRE LES OTAGES, NOUS N'AURONS PLUS DE MOYEN DE PRESSION POUR...

HÉ ! QU'EST-CE QUE TU ES EN TRAIN DE FAIRE AVEC TON MACHIN, LÀ ?

JE RECHARGE MA MAGIE EN JADE 6. NOUS DEVONS RETROUVER GRYF, MAIS NOUS ALLONS ENVOYER AUTRE CHOSE À SA POURSUITE !!

GLOO GLOO GLOO GLOO

EN ADDITIONNANT MA MAGIE NOIRE À CELLE DE L'ARBRE DE GAMÉRA, JE VAIS UTILISER LES CADAVRES DES MONTURES DES FAUCONS D'ARGENT...

... POUR LES MUER...

... EN DE DOCILES ET FÉROCES CRÉATURES !

DE LA MAGINÉTIQUE ??

TU UTILISES LA SCIENCE QUE J'AI DÉVELOPPÉE QUI CONSISTE À CRÉER DES ÊTRES VIVANTS À L'AIDE DE LA MAGIE NOIRE !

COMME TU PEUX LE VOIR...

J'...AI ÉTÉ À BONNE ÉCOLE, PÈRE !

25

EN CHASSE, MES PETITS !

TROUVEZ LE JAGUA-RIAN...

... ET TUEZ-LE !!

BON... ET ON FAIT QUOI EN ATTEN-DANT ?

NOUS ALLONS INSPECTER CE VAISSEAU ET VÉRIFIER QUE PERSONNE D'AUTRE NE SE CACHE À BORD !!

AÏE !! ON EST MAL, LÀ ! VITE, ARTÉMUS, IL FAUT QU'ON...

ARTÉMUS ?

ARTÉMUS, OUVRE CETTE PORTE TOUT DE SUITE !!

BAM BAM

L'ENFOIRÉ !!

ARTÉMUUUS, ESPÈCE DE PETIT GNOME PUANT !! QU'EST-CE QUE TU ES EN TRAIN DE FAIRE ??

JE SAUVE LA PEAU DE MES FESSES, VOILÀ CE QUE JE FAIS !!!

SI LES LÉGENDAIRES NE SONT PAS FICHUS DE ME PROTÉGER ...

HAAAAAA

... ALORS, JE M'EN CHARGERAI MOI-MÊME !

ILS S'ENFUIENT, LES LÂCHES !!

26

28

AH BEN, C'EST DU PROPRE ! SI ARTÉMUS ÉTAIT À BORD, ON L'A DANS L'OS MAINTENANT.

...

NE T'INQUIÈTE PAS, PÈRE. SI TU SOUHAITES UNE CONFRONTATION...

... TU N'AS QU'À REGARDER PAR ICI...

... NOUS AVONS CE QU'IL FAUT !!

ILS SE RELÈVENT ?!

ILS SE RELÈVENT TOUJOURS.

CE SONT...

... LES LÉGENDAIRES !

HUNG...

JADINA ?

UNE VOIX...

... ELLE HURLE DANS MA TÊTE !!

VOUS NE L'ENTENDEZ PAS ??

ELLE...

... ELLE M'APPELLE !!

CONTINUEZ SANS MOI !!

QUOI ?

JADINA !!

JADINA...

LÂCHEUSE !! REVIENS ICI, ESPÈCE DE TROUILLARDE !

DARKHELL, TU DOIS ABSOLUMENT LA RATTRAPER !! SUIS-LA ET TUE-LA !!

HÉ, OH ! JE SUIS PAS TON CHIEN ! ELLE S'EST ENFUIE, ET ALORS ? LA BELLE AFFAIRE !

ELLE VOLE EN DIRECTION DU SOMMET DE L'ARBRE DE GAMÉRA, NE VOIS-TU PAS ?

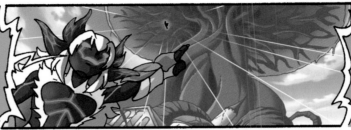

JE T'AI DÉJÀ EXPLIQUÉ QUE CET ARBRE EST LA SOURCE DE MA PUISSANCE ! ON NE PEUT COURIR LE DANGER QUE JADINA ATTEIGNE SON COEUR !

C'EST BON, J'AI COMPRIS ! JE VAIS N'EN FAIRE QU'UNE BOUCHÉE, NE T'INQUIÈTE PAS !

BON, OÙ EN ÉTIONS-NOUS DE NOTRE CÔTÉ ?

AH, OUI...

... VOUS DEVIEZ MOURIR !!!

IL N'Y A PLUS QUE TOI ET MOI, SHIMY... COMME AU TOUT DÉBUT DE CETTE AVENTURE !

ARRÊTE, DANAËL... TU VAS ME RENDRE NOSTALGIQUE ! C'EST VRAI QUE NOS VIES DE CAMPAGNARDS ÉTAIENT BIEN PLUS CALMES...

... AVANT QU'ARTÉMUS N'INTERVIENNE DANS NOS EXISTENCES...

... AVEC SON MAUDIT JOURNAL !!

HUNN...

GLOUPS !

AAAH !! AU SE ... GLOUPS !! JE ME NOIE !!

À L'AIDE !!!

À L'AI... DLLB BLL LL...

FLOOSH

AAAH !!

KOF ! KOF !

DU CALME, TOOPIE ! RESPIRE À FOND, LÀ...

CHEF ? SAMAËL ? ... C'EST... C'EST BIEN TOI ?

OUAIS ... ENFIN, PLUS OU MOINS !!

BON, ASSEZ PLAISANTÉ ; SORTONS VITE DE CETTE BOÎTE DE CONSERVE !

IL ME TARDE DE REJOINDRE LA SURFACE OÙ NOUS ATTEND ...

...NOTRE BON AMI GRYFENFER !

TCHOUM !

SNIF !

BON, TOUT LE MONDE A ÉTÉ ÉVACUÉ ...

IL NE RESTE PLUS QUE VOUS !

PAS QUESTION QUE JE PARTE SANS ME BATTRE !!

LAISSEZ-MOI RESTER AVEC VOUS ET VOS COMPAGNONS POUR LUTTER CONTRE LE SORCIER NOIR ET...

DÉSOLÉ, SHAMIRA. MAIS CES SOUVERAINS ONT BESOIN DE QUELQU'UN POUR LES GUIDER DANS UN LIEU SÛR. C'EST VOTRE RESPONSABILITÉ !

DE PLUS ...

JE CONNAIS UNE ELFE QUI NE ME PARDONNERAIT JAMAIS S'IL VOUS ARRIVAIT LE MOINDRE MAL PAR MA FAUTE !

ET DÉPÊCHEZ-VOUS...

... MOI, JE SENS QUE JE VAIS ÊTRE BIEN OCCUPÉ.

30

JE DOIS LE RECONNAÎTRE, TU ES PLUTÔT RAPIDE, LÉGENDAIRE !!

MAIS TA CHANCE VA BIEN FINIR PAR TOURNER ET UN DE MES COUPS PAR TE TOUCHER...

... TÔT...

... OU TARD !

AAAAH !!

TU NE MOURRAS PAS AUJOURD'HUI, JADINA !!

JE NE LAISSERAI À PERSONNE D'AUTRE LE DROIT DE TE TUER !!

LA CLÉ ELFIQUE, CELLE QUE JE T'AI "VENDUE"...

FIGURE-TOI QU'ELLE DISPOSE D'UN TRACEUR MAGIQUE !

JE L'Y AVAIS PLACÉ AU CAS OÙ TU ESSAIERAIS DE M'ENTOURLOUPER...

... CE QUI N'A PAS MANQUÉ !!

HALAN ?!

QUE FAIS-TU ICI ? ET... ET...

... COMMENT AS-TU RÉUSSI À ME RETROUVER ?

HALAN... JE SAIS QUE JE TE DOIS DES EXPLICATIONS... ET JE TE PROMETS QUE JE T'EN DONNERAI...

MAIS JE T'EN PRIE, IL FAUT QUE TU ME LAISSES ALLER AU SOMMET DE...

TAIS-TOI !!

FERME-LA, JADINA.

31

TU AGIS BIZARREMENT DEPUIS QUELQUE TEMPS, JE L'AI BIEN REMARQUÉ.

TOI ET MOI, ON A UN COMPTE À RÉGLER ET TU N'Y ÉCHAPPERAS PAS !! MÊME SI POUR CELA, J'AI BIEN L'IMPRESSION...

... QUE JE VAIS DEVOIR TE FILER UN COUP DE MAIN !!

QUOI QU'IL SE TRAME, J'EN AI RIEN À COGNER, TU M'ENTENDS ?

MERCI, HALAN !

J'AI QUELQUE CHOSE À ACCOMPLIR MAIS J'AI LE SORCIER NOIR AUX FESSES !!

NE T'INQUIÈTE PAS...

... JE VAIS AVOIR DE QUOI L'OCCUPER !

OK, MAIS...

... FAIS BIEN ATTENTION À TOI !!

ME REGARDE PAS COMME ÇA...

... JE SAIS CE QUE JE FAIS !

DU MOINS JE L'ES-PÈRE !

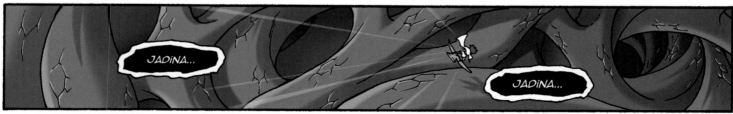

JADINA...

JADINA...

JADINAAAA !!

32

APPROCHE, MON ENFANT !

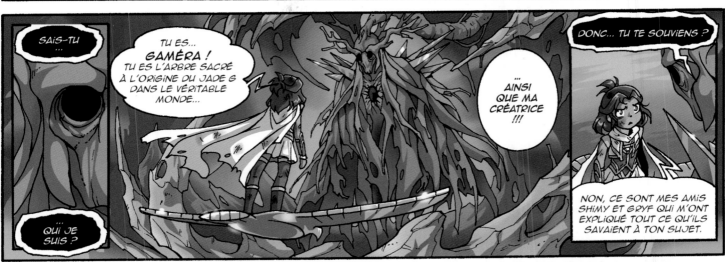

SAIS-TU ...

TU ES... GAMÉRA ! TU ES L'ARBRE SACRÉ À L'ORIGINE DU JADE G DANS LE VÉRITABLE MONDE...

...AINSI QUE MA CRÉATRICE !!!

DONC... TU TE SOUVIENS ?

NON, CE SONT MES AMIS SHIMY ET GRYF QUI M'ONT EXPLIQUÉ TOUT CE QU'ILS SAVAIENT À TON SUJET.

...QUI JE SUIS ?

ALORS LAISSE-MOI TE RACONTER CE QUE TOUS IGNORENT, MA CHÈRE ENFANT.

SACHE QUE C'EST MALGRÉ MOI QUE JE SUIS DEVENUE L'ALLIÉE D'ABYSS. MON EXIL DANS L'ESPACE AVEC LE CORPS DE SON HÔTE PRÉCÉDENT N'A PAS EU RAISON DE LUI. LE SYMBIOTE A SURVÉCU AU VIDE SPATIAL ET EST PARVENU JUSQU'À MOI.

ET À MON TOUR, J'AI ÉTÉ PARASITÉE PAR CETTE CRÉATURE, JE N'AI RIEN PU FAIRE ! JE SUIS DEPUIS LORS L'ESCLAVE D'ABYSS QUI SE SERT DE MON JADE POUR ALIMENTER SA PUISSANCE.

AINSI, MÊME SI J'AI PU CONSERVER LE CONTRÔLE DE MON ESPRIT, ABYSS, LUI, S'EST EMPARÉ DE MON CORPS.

LORSQUE JE T'AI SENTIE VENIR DANS CETTE DIRECTION, JE T'AI APPELÉE VIA LE LIEN FILIAL QUI NOUS UNIT !

JADINA, TOI SEULE AS LE POUVOIR DE M'ARRACHER CE PARASITE QUI FAIT DE MOI L'ESCLAVE D'ABYSS !!

IL EST AINSI DEVENU INVINCIBLE ET IL LE RESTERA TANT QUE JE SERAI EN VIE.

CELA ME TUERA ASSURÉMENT ...

TU SERAS ALORS GUÉRIE DU SORTILÈGE QUI ENTRAVE...

... MAIS AVANT DE DISPARAÎTRE, MA MAGIE PASSERA EN TOI.

... LA VÉRITABLE JADINA !!

TU TIENS LE DESTIN DU MONDE DANS TA MAIN.

33

IL... IL REVIENT À LUI, JE CROIS.

EST-CE QUE ÇA VA ?

EST-CE QUE ÇA VA ?

DOUCEMENT !

VOUS AVEZ FAILLI MOURIR DANS LE CRASH DE VOTRE VAISSEAU.

HEUREUSEMENT, NOUS AVONS PU VOUS EN EXTIRPER AVANT QUE VOUS SOYEZ PRIS DANS LES FLAMMES, MONSIEUR DEL CONQUISADOR.

VOUS *GULPS GULPS*...

... VOUS M'AVEZ RECONNU ?

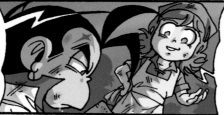

QUELLE QUESTION ! VOUS ÊTES LE LÉGENDAIRE ARTÉMUS, LE HÉROS QUI A SAUVÉ LE MONDE UN NOMBRE INCALCULABLE DE FOIS !

QUI N'A PAS LU VOS FORMIDABLES RÉCITS D'AVENTURES RELATÉS DANS VOS LIVRES ?

MES... LIVRES ?!

MON JOURNAL !

IL ÉTAIT À BORD, POURVU QU'IL NE SOIT PAS...

BRÛLÉ ?

C'EST CE LIVRE DONT VOUS PARLEZ ?? IL ÉTAIT À CÔTÉ DE VOUS, ALORS ON S'EST DIT QUE VOUS Y TENIEZ ET ON L'A SORTI DU VAISSEAU EN MÊME TEMPS QUE VOUS... MAIS IL A ÉTÉ DÉTRUIT DANS L'INCENDIE !!

MON JOURNAL ... À BRÛLÉ ?!

ALORS, ÇA Y EST ? C'EST... LA FIN ? C'EST VRAIMENT DE CETTE MANIÈRE QUE ÇA VA SE TERMINER ?

MONSIEUR DEL CONQUISADOR ... ÇA NE VA PAS ?? DITES-MOI SI ON PEUT FAIRE QUOI QUE CE SOIT. C'EST IMPORTANT DE PRENDRE SOIN DES HÉROS.

"PRENDRE SOIN ... DES HÉROS" ?

LA BONNE BLAGUE ...

JE NE FAIS QUE ÇA !

JE CROYAIS POURTANT AVOIR RÉUSSI CE COUP-CI ... MAIS CETTE FOIS ENCORE ...

... LES LÉGEN-DAIRES VONT MOURIR !!

34

IL EST TROP FORT !

MALÉDICTION !

À SEULEMENT DEUX CONTRE LUI, ON N'ARRIVERA JAMAIS À LE BATTRE !!

ENFIN, VOUS RÉALISEZ VOS CHANCES DÉRISOIRES...

DE L'EMPORTER FACE À MOI...

B L A M

... ET CE N'EST PAS UNE GAMINE ET SA MARIONNETTE DE MÉTAL QUI CHANGERONT QUELQUE CHOSE !

LOUPÉ !

TOOPIE !!

ON TE CROYAIT MORTE DANS LE CRASH DE NOTRE VAISSEAU !

HÉ ! HÉ ! ÇA A BIEN FAILLI !!

JE SUIS CONTENTE DE VOIR QUE VOUS ÊTES TOUJOURS EN VIE. FAITES UNE PAUSE, ON EST VENUS VOUS DONNER UN COUP DE MAIN !

"ON" ?

QUI ÇA, "ON" ??

35

ATTAQUE ÉLÉMENTAIRE !!!

BON SANG, DE QUOI SONT FAITES CES CRÉATURES ???

J'AI BEAU LES ATTAQUER DE TOUTES MES FORCES...

... MA MAGIE ÉLÉMENTAIRE EST SANS EFFET SUR ELLES !!

IL FAUT POURTANT QUE JE LAISSE À SHAMIRA DE L'AVANCE POUR ÉVACUER LES OTAGES LOIN D'ICI !

IL FAUT ...

HAAA !!

QUEL IDIOT !! JE ME SUIS LAISSÉ SURPRENDRE ... ET JE N'AI PLUS LA FORCE DE ME TRANSFORMER !!

CETTE FOIS, C'EST VRAIMENT MAL BARRÉ !!

JE VAIS MOURIR ICI...

... DÉCHIQUETÉ PAR CES MONSTRES !!

36

NE ME DIS PAS QUE TU ABANDONNES DÉJÀ LA PARTIE, GRYFENFER !

J'ATTENDS MIEUX DE CELUI QUI A ÉTÉ MON ÉLÈVE AUTREFOIS !!

SA... SAMAËL ?!!

ALLEZ, RELÈVE-TOI AVANT QUE JE TE FILE LA MÊME CORRECTION QU'À CES TOUTOUS MAL LÉCHÉS !

SA... MAËL, C'EST BIEN TOI ? MAIS COMMENT...

EH BIEN, DISONS QU'UNE ROUQUINE TRÈS MALIGNE ET UN PEU DE SANG JAGUARIAN Y SONT SANS DOUTE POUR QUELQUE CHOSE !

SAMAËËËL !!!

MOI AUSSI, JE SUIS CONTENT DE TE REVOIR...

TSS !

...GRYFENFER LE PLEURNICHARD !!

JE... JE NE SUIS PAS UN PLEURNI-CHARD !!

SNIF ! SNIF !

MAIS NON, BIEN SÛR !!

BON... TU ES ASSEZ EN FORME...

...POUR ALLER BOTTER LES FESSES D'ABYSS ?

TU ES AU COURANT DE LA SITUATION ??

GROSSO MODO, CE QU'A PU ME RACONTER TOOPIE !! MAIS SI J'AI BIEN SAISI CE QUI NOUS ATTEND...

...ON EST DANS LE CACA DE GIRAWA JUSQU'AU COU !!

37

39

PAUVRE FOU !

TU COMPTAIS RÉELLEMENT ME VAINCRE AVEC TON ARMÉE D'AMATEURS ?

HA! HA! HA!

IL ÉTAIT SEULEMENT QUESTION...

... LE TEMPS QUE JADINA FASSE...

... CE QU'ELLE AVAIT À FAIRE !

JADINA ?!

JE SUIS PEUT-ÊTRE FOU... MAIS PAS IDIOT !

... DE TE RALENTIR...

AUSSI, JE TE REMERCIERAIS DE M'APPELER...

... LÉGENDAIRE JADINA !!!

NE SOIS PAS SI FAMILIER AVEC MOI, DARKHELL !

LE PARASITE DE GAMÉRA, TU L'AS...

ENFIN UN ADVERSAIRE À MA MESURE !! JE COMMENÇAIS À ME DEMANDER SI ABYSS N'AVAIT PAS EXAGÉRÉ...

... EN ME VANTANT LES EXPLOITS DES LÉGENDAIRES, MES SOI-DISANT ENNEMIS JURÉS !!

DOMMAGE QUE TU N'AIES PAS RECOUVRÉ LA MÉMOIRE COMME JE VIENS DE LE FAIRE, DARKHELL !

TU TREMBLERAIS DE PEUR AU SOUVENIR DE TOUTES LES FOIS OÙ NOUS T'AVONS FICHU UNE RACLÉE !

TU AS PEUT-ÊTRE RETROUVÉ TES SOUVENIRS ET TES POUVOIRS DE JADE GRÂCE À L'ARBRE DE GAMÉRA ...

MAIS DE TOUTE ÉVIDENCE TU AS FAIT UN MAUVAIS CALCUL, JADINA !!!

VRAI-MENT ?!

C'EST EN TANT QUE GROUPE QUE VOUS M'AVEZ VAINCU PAR LE PASSÉ.

ET TU SEMBLES OUBLIER QU'EN CET INSTANT ...

... C'EST SEULE QUE TU TE RETROUVES FACE À MOI !!

JADINA NE SERA JAMAIS SEULE ...

... CAR QUAND L'UN DE NOUS A BESOIN D'AIDE...

... LES LÉGENDAIRES RÉPONDENT À L'APPEL !!

40

ET GARE À CEUX...

... QUI NOUS BARRENT LE CHEMIN !!

QUE... MON BÂTON !!!

SÉRIEUSE-MENT ? UN BOUT DE BOIS CONTRE LE PLUS GRAND SORCIER D'ALYSIA ? JE ME SENS INSULTÉ !

ÇA SUFFIT ! CESSEZ LE COMBAT AVANT QU'IL Y AIT DES BLESSÉS !!

TU AS COUPÉ MA MAGIE ?

UNE ÉPÉE D'ANTIMAG ?!

SI TU CROIS QUE ÇA VA SUFFI...

TU PARLES BEAUCOUP TROP, ZORZIER !!

JE METS UN "POING" FINAL À ZETTE DIZCUZZION !

ÇA VA, JADINA ? ON EST DÉSOLÉS DE N'ARRIVER QUE MAINTENANT. J'AI EU COMME QUI DIRAIT QUELQUES SOUCIS AVEC MON POUVOIR DE TÉLÉ-PORTATION !

VOUS M'AVEZ SAUVÉ LA VIE... ALORS, JE NE VAIS PAS ME PLAINDRE !

ON PEUT ZAVOIR ZE QUE TU EZZAYAIS DE FAIRE À L'INZTANT ?

J'ESSAYAIS DE NÉGOCIER, BALOURD ! JE TE RAPPELLE QUE MON PÈRE EST SOUS L'EMPRISE DU WORLD WITHOUT ET...

IL N'Y AURA AUCUNE NÉGOCIATION, TÉNÉBRIS !!

QU'IL AIT SA VÉRITABLE MÉMOIRE OU PAS NE CHANGE RIEN !!

DARKHELL EST ET RESTERA POUR TOUJOURS UN ÊTRE MALÉFIQUE, IL EST NOTRE ENNEMI ET ÇA NE CHANGERA JAMAIS !!

TÉNÉBRIS ?

C'EST... BIEN TOI ?

...

MAIS OUI...

TU... TU ES TÉNÉBRIS... TU ES... MA FILLE !!

C'EST... MERVEILLEUX.

VIENS DANS MES BRAS !

TÉNÉBRIS, ÉCARTE-TOI !!

NON, JADINA ! S'IL Y A UNE CHANCE DE RALLIER MON PÈRE À NOTRE CAUSE, ACCORDE-LA-MOI !

S'IL TE PLAIT !

TÉNÉBRIS...

PÈRE !!

ALORS, C'EST VRAI ? TU TE SOUVIENS DE MOI ?

OH, OUI, JE ME SOUVIENS !!

JE ME SOUVIENS SURTOUT QU'ABYSS M'AVAIT MIS EN GARDE QUE L'UN DE VOUS ESSAIERAIT DE ME DUPER EN SE FAISANT PASSER POUR MA DESCENDANCE !!

TU DIS ÊTRE MA FILLE ?

ALORS, HURLE DANS LES BRAS DE PAPOUNET !

TÉNÉBRIS !!

ABYSS EST MON SEUL FILS, TU M'ENTENDS ?

DA... SYATIS ?!

CETTE PLAISANTERIE A ASSEZ DURÉ...

IL EST TEMPS POUR LES LÉGENDAIRES DE RETOURNER DANS LA LÉGENDE !!

QUE ?

TU ES LE MAL INCARNÉ. CE QUE TU AS FAIT SUBIR À TÉNÉBRIS ÉTAIT TA DERNIÈRE ACTION DÉMONIAQUE !

DISPARAIIIS !!!

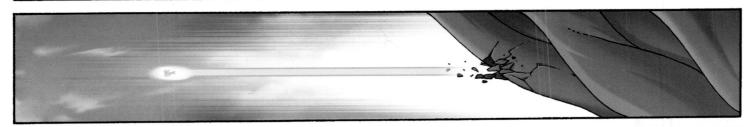

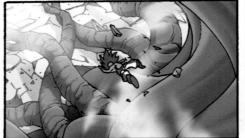

FFFF

DASYATIS ?

QUE...

HALAN ?!!

MERCI POUR LE COUP DE MAIN, DASYATIS !

43

HALAN, TU...

ALORS, LES FILLES... ...COMMENT JE M'EN SORS ?

P... PLUTÔT BIEN.

TU... N'AS JAMAIS SU ME MENTIR, JADINA !!

HALAN, JE...

CE QUI ME FICHE VRAIMENT EN ROGNE... C'EST QUE JE VAIS CLAMSER SANS RIEN PIGER À CE QUI SE PASSE...

J'AURAIS BIEN VOULU...

QU'EST-CE QUE...

BAH... C'EST PAS TA FAUTE... C'EST DÉJÀ PRESQUE ÉTONNANT QUE J'AIE VÉCU SI LONGTEMPS AVEC MON STYLE DE VIE.

MA...

...DOUCE...

...PRIN-CESSE !!

AAH...

AAAH...

AAAAH...

AAAAAAH !!!

ZA... ZADINA, TU LUI AS RENDU ZA MÉMOIRE AVANT ZA MORT ?

COMMENT ?

ELLE A FAIT LA MÊME CHOSE POUR MOI LORSQUE JE L'AI LIBÉRÉE DE L'EM-PRISE D'ABYSS.

C'EST LA MAGIE DE GAMÉRA !

AU MOMENT DE MOURIR, SES POU-VOIRS SONT PASSÉS EN MOI. C'ÉTAIT SON ULTIME CADEAU, SON HÉRITAGE !!

MAIS POUR L'INSTANT, NOUS N'AVONS PAS LE TEMPS DE PLEURER NOS MORTS...

...LE COMBAT N'EST PAS TERMINÉ !!

44

INCROYABLE ! L'ÉPÉE D'OR DE DANAËL EST CENSÉE ÊTRE INDESTRUCTIBLE !

DE QUOI EST DONC FAITE L'ARMURE D'ABYSS ??

DÉSOLÉE, JE NE PEUX PLUS VOUS AIDER. ABYSS A DÉTRUIT LE SYSTÈME D'ARMEMENT DE DING-DONG !!

VOTRE CHANCE N'AURA DURÉ QU'UN TEMPS, CHEVALIER DANAËL !!

QUI OSE ?

45

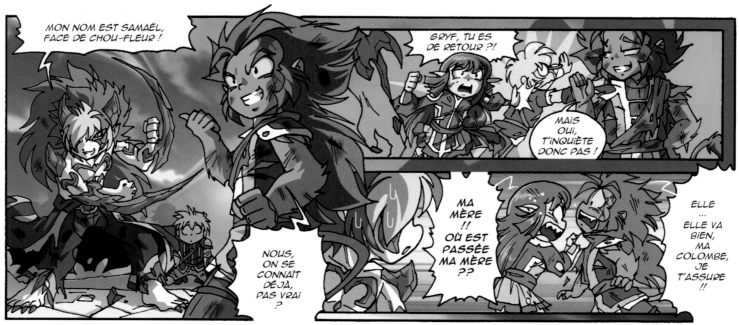

MON NOM EST SAMAËL, FACE DE CHOU-FLEUR !

NOUS, ON SE CONNAÎT DÉJÀ, PAS VRAI ?

GRYF, TU ES DE RETOUR ?!

MAIS OUI, T'INQUIÈTE DONC PAS !

MA MÈRE !! OÙ EST PASSÉE MA MÈRE ??

ELLE ... ELLE VA BIEN, MA COLOMBE, JE T'ASSURE !!

AU MOMENT OÙ JE TE PARLE, SHAMIRA EST EN TRAIN DE CONDUIRE LES SOUVERAINS SURVIVANTS À L'ABRI GRÂCE AUX TUNNELS SOUS-TERRAINS DU PALAIS.

ET VOUS PENSEZ AVOIR GAGNÉ ??

VOUS AVEZ LIBÉRÉ LES OTAGES ET VOUS M'AVEZ PRIVÉ DE MA SOURCE DE MAGIE ... LA BELLE AFFAIRE !

LORSQUE MON PÈRE REVIENDRA, NOUS EN FINIRONS AVEC CE MONDE ET NOUS EN BÂTIRONS UN NOUVEAU À NOTRE IMAGE, UN MONDE UNI, UN MONDE QUI...

DARKHELL EST MORT !!

ET C'EST LE MÊME DESTIN QUI T'ATTEND...

... ABYSS !!

JADINA ? C'EST BIEN TOI ?

QU'EST-CE QUI T'EST ARRIVÉ ? TU SEMBLES SI DIFFÉ...

46

TAIS-TOI ...

... ET EMBRASSE-MOI !!

WHAAA... ÇA, C'EST UN BAISER !!

QU'EST-CE QUI VIENT DE SE PASSER ?

ZADINA VIENT DE REDONNER LA MÉMOIRE À DANAËL... COMME ELLE L'A FAIT POUR MOI ÉGALEMENT !

JADINA ET TOI, VOUS VOUS ÊTES EMBRASSÉS ??

T'AS QU'À ÊTRE PLUS CLAIR !

NON MAIS ZA VA PAS, LA TÊTE ?

DÉGAGEZ !

DASYATiiiiS ?!!

TÉNÉBRIS !!

TU AS OSÉ TUER NOTRE PÈRE ? ENSEMBLE, NOUS DEVIONS BÂTIR UN NOUVEAU MONDE, UN FOYER POUR NOTRE FAMILLE !

MON PAUVRE ABYSS, TU N'AS PAS LA MOINDRE IDÉE DE CE QU'EST UNE FAMILLE !

DES PERSONNES QUI T'AIMENT NON PAS POUR TES QUALITÉS, MAIS MALGRÉ TES DÉFAUTS, DES GENS QUI TE FONT CONFIANCE ET NON QUE TU MANIPULES...

... VOILÀ CE QU'EST UNE VÉRITABLE FAMILLE ! ET C'EST CE QUE SONT DEVENUS LES LÉGENDAIRES POUR MOI !!

ALORS, C'EST À TON TOUR DE RESSENTIR ...

... LA DOULEUR DE PERDRE UN MEMBRE DE TA FAMILLE !!

DANAËL
...

...

JE SAIS QUE ÇA SE BOUSCULE DANS TA TÊTE AVEC TES SOUVENIRS QUI REVIENNENT...

... MAIS LA SITUATION EST GRAVE, NOS AMIS ONT BESOIN DE NOTRE AIDE !

IL FAUT... QUE TU ATTAQUES ABYSS AVEC TA MAGIE DE JADE !!

MAIS TU ES FOU ! ABYSS ET MOI TENONS NOTRE PUISSANCE DE LA MÊME SOURCE. MA MAGIE NE FERAIT QUE LE RENFORCER !

ATTAQUE-LE, JADINA !!

FAIS-MOI CON-FIANCE !!

48

GALEN.

GALEN.

GALEN.

QUE...
QU'EST-
CE QU'ON
FAIT
MAINTENANT
??
QUI VA VOIR
SI ARTÉMUS
A SURVÉCU
AU CRASH
??

CRRRRR

AAAAAH !!!

AMY
!!!

ABYSS
EST
TOUJOURS
EN
VIE
?!

KRAW !!

SHUN-
DAY
?!

TU
M'AS
SAUVÉ
LA VIE.
MERCI,
JE...

OÙ
EST
...

...ARTÉMUS
??

51

JE... NOUS N'EN SOMMES PAS SÛRS. IL EST PEUT-ÊTRE BLESSÉ SUITE AU CRASH DE NOTRE VAISSEAU...

JE VOIS.

JE DOIS M'ASSURER...

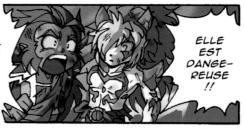

AMY, ÉLOIGNE-TOI TOUT DE SUITE DE SHUN-DAY !!

ELLE EST DANGE-REUSE !!

...OU MÊME PIRE.

ON NE PEUT LAISSER LA PLACE AU DOUTE...

SCREEEETCH !!

...QU'ARTÉMUS EST BEL ET BIEN MORT !

QUOI ?

QUE...? SHUN-DAY, QU'EST-CE QUE TU FAIS ?

CRONCH ! CRONCH ! CRONCH ! CRONCH !

CE QUI...

GULPS !

...DOIT ÊTRE FAIT !

SHUN-DAY... POUR-QUOI ?

PARDONNEZ-MOI.

AAAH !!

GRYF ! QU'EST-CE QUE ÇA VEUT DIRE ?

INVIDIA, LA TANTE DE SHUN-DAY, SE TROUVAIT PARMI LES SOUVERAINS OTAGES !

ELLE M'A EXPLIQUÉ QUE SA NIÈCE AVAIT FOURNI DES INFOR-MATIONS À ABYSS DE SON PLEIN GRÉ !

D'APRÈS ELLE...

...SHUN-DAY A PERDU LA RAISON !!!

52

NOOOOON... TOUTES CES VICTIMES INNOCENTES !!

QUELLES VICTIMES ? JE N'AI TUÉ PERSONNE... ICI, TOUT EST FAUX, AMY. CETTE VILLE, CE PAYS... CE MONDE !!

TOUT N'EST QU'UN IMMENSE MENSONGE CRÉÉ PAR ARTÉMUS ! ET SI POUR EFFACER CETTE MASCARADE, JE DOIS ANÉANTIR ALYSIA ELLE-MÊME, JE LE FERAI !

COMMENT AS-TU PU ?

GRYF A RAISON. SHUN-DAY... "RAVEN" A COMPLÈTEMENT PERDU LA TÊTE, ELLE NE DISTINGUE PLUS LE BIEN DU MAL !

LA FUSION D'ABYSS, D'UNE HUMAINE ET D'UNE GALINA CROISÉE AVEC UNE CHIRIDIRELLE A FAIT D'ELLE UNE CRÉATURE AU MOINS AUSSI PUISSANTE QU'ANATHOS !!

PAS QUEZTION DE LA LAIZZER CONTINUER ZA TUERIE !!

JE ME DOUTAIS QUE VOUS NE COMPRENDRIEZ PAS LA JUSTESSE DE MA MISSION.

APRÈS TOUT, VOTRE EXISTENCE EST TOUT AUSSI MENSONGÈRE QUE LE RESTE !

STOP !!

ON T'AFFRONTERA JUSQU'AU DERNIER D'ENTRE NOUS, RAVEN !

54

ASSEZ !

ARTÉMUS ... MAÎTRE ... VOUS VOUS EN ÊTES SORTI ?!

ET VOILÀ LE MAÎTRE DES MENSONGES EN PERSONNE ! ET TEL UN CAFARD RAMPANT, IL VIENT SUPPLIER POUR SA VIE !!

AMUSE-MOI. QU'AS-TU À M'OFFRIR EN ÉCHANGE DE MA CLÉMENCE ??

NE TOUCHE PAS À UN CHEVEU DES LÉGENDAIRES !

LE JOURNAL D'ARTÉMUS ! BRAVO, LE SCRIBOUILLARD !!

NIAF ! NIAF !

GRÂCE À LUI, ON A ENCORE UNE CHANCE DE L'EMPORTER FACE À RAVEN. IL SUFFIT QU'ARTÉMUS ÉCRIVE DESSUS POUR QUE...

LE JOURNAL EST DÉTRUIT ET POURTANT ...

... LE SORTILÈGE DE WORLD WITHOUT N'A PAS DISPARU, NOUS SOMMES TOUJOURS LÀ.

VOUS VOYEZ CETTE CICATRICE ? LORSQUE LES PIERRES DIVINES ONT EXPLOSÉ IL Y A TROIS ANS, IL N'Y A PAS QUE MON JOURNAL QUI EN A REÇU UN FRAGMENT. À VOTRE AVIS, POURQUOI IL N'Y AVAIT QUE MOI QUI POUVAIT RÉÉCRIRE LA RÉALITÉ DANS SES PAGES ?

J'AI DANS MON CRÂNE UN ÉCLAT DE PIERRE DIVINE !!!

ALORS SI J'AI BIEN COMPRIS, POUR ÉRADIQUER TOTALEMENT LE WORLD WITHOUT, IL SUFFIT QUE TU MEURES ?!

ÇA ...

... IL N'Y A QU'EN ME TUANT QUE TU LE SAURAS !!

LÉGENDAIRES, JE SUIS VRAIMENT DÉSOLÉ DE NE PAS AVOIR RÉUSSI À VOUS OFFRIR UN MONDE DONT LE DESTIN VOUS ACCEPTE.

ET CE, MALGRÉ TOUTES MES TENTATIVES !!

HEIN ?

SES TENTATIVES ??

UN MONDE QUI NOUS ACCEPTE ?

MAIS QU'EST-CE QUE VOUS CROYEZ, BANDE DE TRUCMUCHES ?!

MALGRÉ TOUT MON GÉNIE, JE SUIS BIEN OBLIGÉ DE FAIRE QUELQUES BROUILLONS AVANT D'ÉCRIRE UN CHEF-D'ŒUVRE !

CE MONDE SUR LEQUEL NOUS SOMMES ET QUE VOUS DÉSIREZ TANT EFFACER...

... EST DÉJÀ LA 6ème ALYSIA QUE J'AI CRÉÉE !!

55

LORSQUE JE VOUS AI RESSUSCITÉS POUR LA PREMIÈRE FOIS IL Y A UN PEU PLUS DE DEUX ANS, VOUS N'IMAGINEZ PAS QUELLE ÉTAIT MA FIERTÉ...

... D'AVOIR REDONNÉ À ALYSIA LES PLUS GRANDS HÉROS QU'ELLE AIT JAMAIS CONNUS...

... AVANT DE VOUS VOIR PÉRIR SOUS MES YEUX QUELQUES SEMAINES PLUS TARD...

... ET DE NOUVEAU À VOTRE RÉSURRECTION SUIVANTE, ET CELLE D'APRÈS, ET ENCORE...

À CHAQUE FOIS QUE JE VOUS REDONNAIS LA VIE, LE DESTIN VOUS RAMENAIT DROIT À LA MORT.

CHAQUE NOUVELLE ALYSIA QUE JE CRÉAIS DEVENAIT VOTRE NOUVEAU TOMBEAU.

J'AI ALORS COMPRIS QUE LE SEUL MOYEN DE VOUS GARDER EN VIE ÉTAIT DE VOUS FAIRE REVENIR AVEC DE TOUTES NOUVELLES EXISTENCES, À L'OPPOSÉ DE VOS ANCIENNES VIES HÉROÏQUES...

... ET D'ENDOSSER À VOTRE PLACE LA CHARGE DE "HÉROS" D'ALYSIA POUR ÉLOIGNER DE VOUS LA FATALE DESTINÉE QUI NE CESSAIT DE VOUS FRAPPER.

HÉLAS, ET MALGRÉ TOUS MES EFFORTS, LE DESTIN A TROUVÉ UN MOYEN DE TOUS VOUS RÉUNIR POUR VOUS MENER DE NOUVEAU À LA MORT.

... LES CICATRICES DU MONDE !!!

MAIS CETTE FOIS, JE NE SUIS PLUS EN MESURE DE SOIGNER...

MAÎTRE... JE... J'IGNORAIS TOUT !

JE VOUS DEMANDE PARDON !

AMY, MA CHÈRE DISCIPLE...

IL N'Y A RIEN À PARDONNER !

RECTIFI-CATION...

56

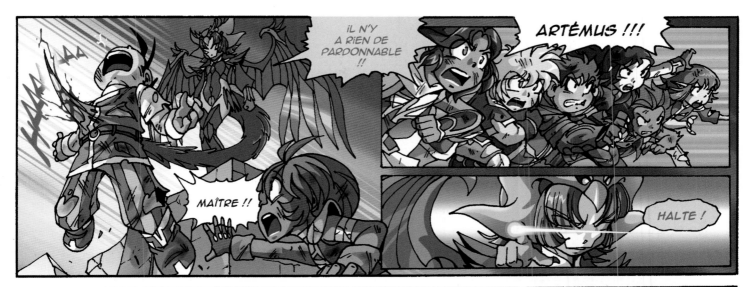

IL N'Y A RIEN DE PARDONNABLE !!

ARTÉMUS !!!

MAÎTRE !!

HALTE !

QUE VOUS ÊTES NAÏFS !

CE QU'ARTÉMUS VIENT DE RACONTER NE CHANGE ABSOLUMENT RIEN !

ON N'INTERROMPT PAS ARTÉMUS DEL CONQUISADOR...

... QUAND IL RACONTE UNE HISTOIRE !!

CET HOMME MÉRITE DE MOURIR POUR AVOIR FAIT DE NOS VIES UNE SUCCESSION DE DOULEURS ET DE...

QUE... ?

TU ES ...

... EN VIE ?

⑤⑦

TU AS... RAISON SUR UN POINT, RAVEN. IL FAUT QUE JE DISPARAISSE DE CE MONDE.

FIGURE-TOI QUE J'AI COMPRIS IL Y A PEU D'OÙ VENAIENT LES NÉANTS ...

ILS SONT L'INCARNATION DE MES PEURS LES PLUS PROFONDES. NÉES DANS LES MÉANDRES DE MON ESPRIT, ELLES ONT PRIS CETTE FORME...

QUI ONT FRAPPÉ ALYSIA ET ASTRIA CES DERNIÈRES SEMAINES.

... À CAUSE DE LA PIERRE DIVINE QUE J'AI DANS LA TÊTE !!!

IMAGINE UN PEU CE... QUI SE PASSERAIT ...

... SI J'ÉTAIS CAPABLE DE CRÉER UN NÉANT...

... À VOLONTÉ !!

UN NÉANT ?!

NON ... CE N'EST PAS POSSIBLE !!

NOUS... NOUS SOMMES ASPIRÉS !!

DÉSOLÉ, MA BELLE ... MAIS ON DIRAIT QU'ON PART ENSEMBLE POUR UNE DERNIÈRE VIRÉE !

TU CROIS AVOIR GAGNÉ ?

POUR FAIRE DISPARAÎTRE CE NÉANT, JE N'AI QU'À T'ARRACHER LA TÊTE !!

AMY !!

AMY !! NE RESTE PAS LÀ OU TU VAS ÊTRE ENGLOUTIE TOI AUSSI !!

JE VAIS DEVOIR VOUS DÉSOBÉIR !!

JE SUIS AMY, LA DISCIPLE DU LÉGENDAIRE ARTÉMUS DEL CONQUISADOR ...

... ET JUSQU'À LA FIN, MA PLACE EST AUPRÈS DE MON MAÎTRE !

AMY ...

58

AMY !

AMYYY !!!

QU'EST-CE QUE C'EST QUE ÇA ?

ON DIRAIT UN MORCEAU DE PAGE ...

... DU JOURNAL D'ARTÉMUS !!

IL Y A QUELQUE CHOSE D'ÉCRIT DESSUS !

DANAËL ?

HÉ ! POURQUOI TU TREMBLES COMME UNE FEUILLE ?

DIS-NOUS CE QU'ARTÉMUS Y A ÉCRIT !

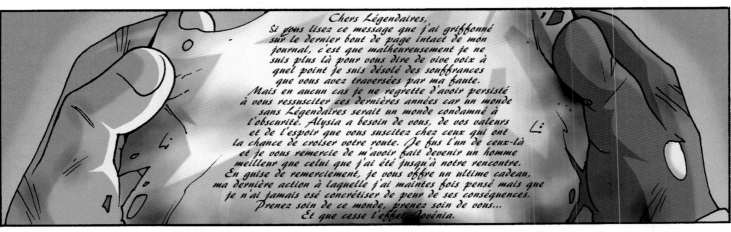

Chers Légendaires,
Si vous lisez ce message que j'ai griffonné sur le dernier bout de page intact de mon journal, c'est que malheureusement je ne suis plus là pour vous dire de vive voix à quel point je suis désolé des souffrances que vous avez traversées par ma faute.
Mais en aucun cas je ne regrette d'avoir persisté à vous ressusciter ces dernières années car un monde sans Légendaires serait un monde condamné à l'obscurité. Alysia a besoin de vous, de vos valeurs et de l'espoir que vous suscitez chez ceux qui ont la chance de croiser votre route. Je fus l'un de ceux-là et je vous remercie de m'avoir fait devenir un homme meilleur que celui que j'ai été jusqu'à notre rencontre.
En guise de remerciement, je vous offre un ultime cadeau, ma dernière action à laquelle j'ai maintes fois pensé mais que je n'ai jamais osé concrétiser de peur de ses conséquences.
Prenez soin de ce monde, prenez soin de vous...
Et que cesse l'effet Jovénia.

UN CADEAU D'ADIEU ? MAIS QU'EST-CE QUE C'EST ?

SES DERNIERS MOTS SONT À PEINE LISIBLES ...

... MAIS JE CROIS QU'IL A ÉCRIT ...

"... QUE CESSE L'EFFET JOVÉNIA !!!"

59

À LA SANTÉ D'ARTÉMUS !!

LONGUE VIE À MON PETIT-FILS ARTÉMUS ...

... LE PREMIER ENFANT NÉ ...

... DEPUIS QUE L'EFFET JOVÉNIA A DISPARU VOILÀ UN AN DÉJÀ !

SÉRIEUX, VOUS AVEZ APPELÉ CET ENFANT DU NOM DE CE GUIGNOL ?? HA ! HA !

QUI A OSÉ DIRE ÇA ? DEL CONQUISADOR S'EST SACRIFIÉ POUR SAUVER OROBAN DE CEUX QUI L'ONT ATTAQUÉ ET IL A DU MÊME COUP RÉUSSI À BRISER LA MALÉDIC-TION DE JOVÉNIA QUI NOUS A RAJEUNIS IL Y A QUINZE ANS !!! IL A ENCORE UNE FOIS MONTRÉ QU'IL ÉTAIT LE PLUS GRAND HÉROS D'ALYSIA !!

C'EST UN HONNEUR QUE CET ENFANT PORTE CE PRÉNOM !

DEL CONQUISADOR ÉTAIT PEUT-ÊTRE UN HÉROS...

... MAIS MAINTENANT IL N'EST PLUS LÀ !

CE... CE SONT LES FRÈRES ESKADROS !!

ÉCARTEZ-VOUS !!

ILS SE SONT ÉVADÉS DE PRISON ?

QUE QUELQU'UN FASSE QUELQUE CHOSE !!

ALORS, QU'AVONS-NOUS LÀ ?

NON !

VOICI DONC LE PREMIER MORVEUX NÉ DEPUIS L'ACCIDENT JOVÉNIA ?!

ARTÉMUS !!

HA! HA! HA! HA!

ORDURES... LAISSEZ MON PETIT-FILS !!

UN MIOCHE DE CETTE VALEUR ME RAPPORTERA UN MAX DE KISHUS AU MARCHÉ AUX ESCLAVES DE KANJÉBU !!

TOUT DOUX, MA BELLE ! TU POURRAS Y RACHETER TON MOUFLARD... SI T'AS DE QUOI PAYER !!

QUE....?

JE L'AI !

OÙ EST PASSÉ LE BÉBÉ ?

GA ?

ALORS...

À NOUS...

...DE JOUER !

VEILLEZ BIEN SUR ARTÉMUS, MADAME.

C'EST UN TRÈS JOLI PRÉNOM !

GA !

ME... MERCI !

QU'EST-CE QUI S'EST PASSÉ ?

VOUS AVEZ VU LA VITESSE AVEC LAQUELLE ILS LES ONT CORRIGÉS ??

MAIS C'ÉTAIT QUI, CES TYPES ?

BONG BAK BOMM

61

...LES LÉGENDAIRES !!

FIN

# PROCHAINEMENT

## 20 ANS SE SONT ÉCOULÉS !!

20 ans durant lesquels le monde d'**ALYSIA** a vécu ses plus belles années de paix
grâce aux Légendaires qui ont fini par raccrocher leurs armes et fonder une famille.

Puis vint **LE GRAND CATACLYSME** !
Les deux lunes d'Alysia sont entrées en collision, déclenchant à la surface
du globe une succession de terribles catastrophes.
Les responsables n'ont pas tardé à se faire connaître...

## LES DIEUX SONT DE RETOUR !!

Les silhouettes écrasantes de leurs vaisseaux célestes parsèment désormais le ciel
tandis que leurs terribles généraux, **LES APÔTRES**, mettent à genoux
tous les gouvernements de la planète.
Les Légendaires eux-mêmes ne sont pas de taille et sont terrassés
en un instant par l'apôtre **SOKATAR**.
Alysia n'a plus de héros !...

Il est temps pour les descendants des **LÉGENDAIRES**
de se dresser face aux forces divines despotiques et de prendre
la tête de **LA RÉSISTANCE** !!!

Cette nouvelle génération de héros trouvera-t-elle l'aide
dont elle a besoin pour affronter les terribles **APÔTRES** ?
Que cache le retour des dieux sur Alysia ?

C'est ce que vous découvrirez dans
LES LÉGENDAIRES RÉSISTANCE
**LA SUITE DES LÉGENDAIRES** chez votre libraire en 2021.

# LES LÉGENDAIRES

## TOUT UN UNIVERS À DÉCOUVRIR OU À REDÉCOUVRIR !

*Les Légendaires*
de Patrick Sobral
Pour vivre des aventures
hors du commun !